folio benjamin

Pour Annie et Jimmy

TRADUCTION DE MARIE SAINT-DIZIER

ISBN : 2-07-054735-3
Titre original : *The Many Adventures of Johnny Mutton*
Publié par Harcourt, Inc., New York

Numéro d'édition : 02262
Loi n° 46-956 du 16 juillet 1949
sur les publications destinées à la jeunesse
Dépôt légal : octobre 2001
Imprimé en Italie par Editoriale Lloyd
Réalisation Octavo

James Proimos

Les aventures de Johnny Mouton

GALLIMARD JEUNESSE

SOMMAIRE

Les premiers pas

Un jour, Moma Mouton trouva un bébé abandonné devant sa porte.
Béééé !
Cool !

Mais ce n'était pas n'importe quel bébé.
C'était un bébé...
... mouton !

Mais Moma, qui avait la vue basse et le cœur grand, ne s'en rendit même pas compte.
Ça alors ! Les anges m'ont confié un magnifique bébé !
Guili dong di dong !
Je vais t'appeler Johnny Mouton et t'élever comme si tu étais mon bébé à moi.
Ma-ma.

Moma Mouton apprit à marcher à Johnny...
Pied droit, pied gauche, pied droit, pied gauche...
à parler...
Dis : gruyère !
Fromage !
à se laver les dents...
Fais comme moi.
et à se laver derrière les oreilles...
Eh ! quand t'es-tu lavé derrière les oreilles pour la dernière fois ? Il y a une pomme de terre qui pousse !
Pas possible !

Johnny confondait souvent se laver les dents et se laver les oreilles.

Moma éleva si bien Johnny que personne ne remarqua que c'était un mouton. Pourtant, bien des gens remarquaient qu'il était différent.
Ce garçon a quelque chose de bizarre.
Monsieur Boulingrin
Il est très heureux. C'est peut-être pour cela qu'on le remarque.
Laurette Zac
Il n'essaie même pas de faire comme les autres. Ça ne me plaît pas.
Il est trop lui-même.
Madame Dugras
J'ai tout de suite compris qu'il était différent. J'aime bien ses caresses.
Le chien des Bridoux

Toutes les nuits, avant que Johnny aille au lit, Moma le serrait fort dans ses bras et lui disait :
Je t'aime, Johnny Mouton ! Tu es le seul et l'unique.
ZZZZ.
Et elle avait bien raison.

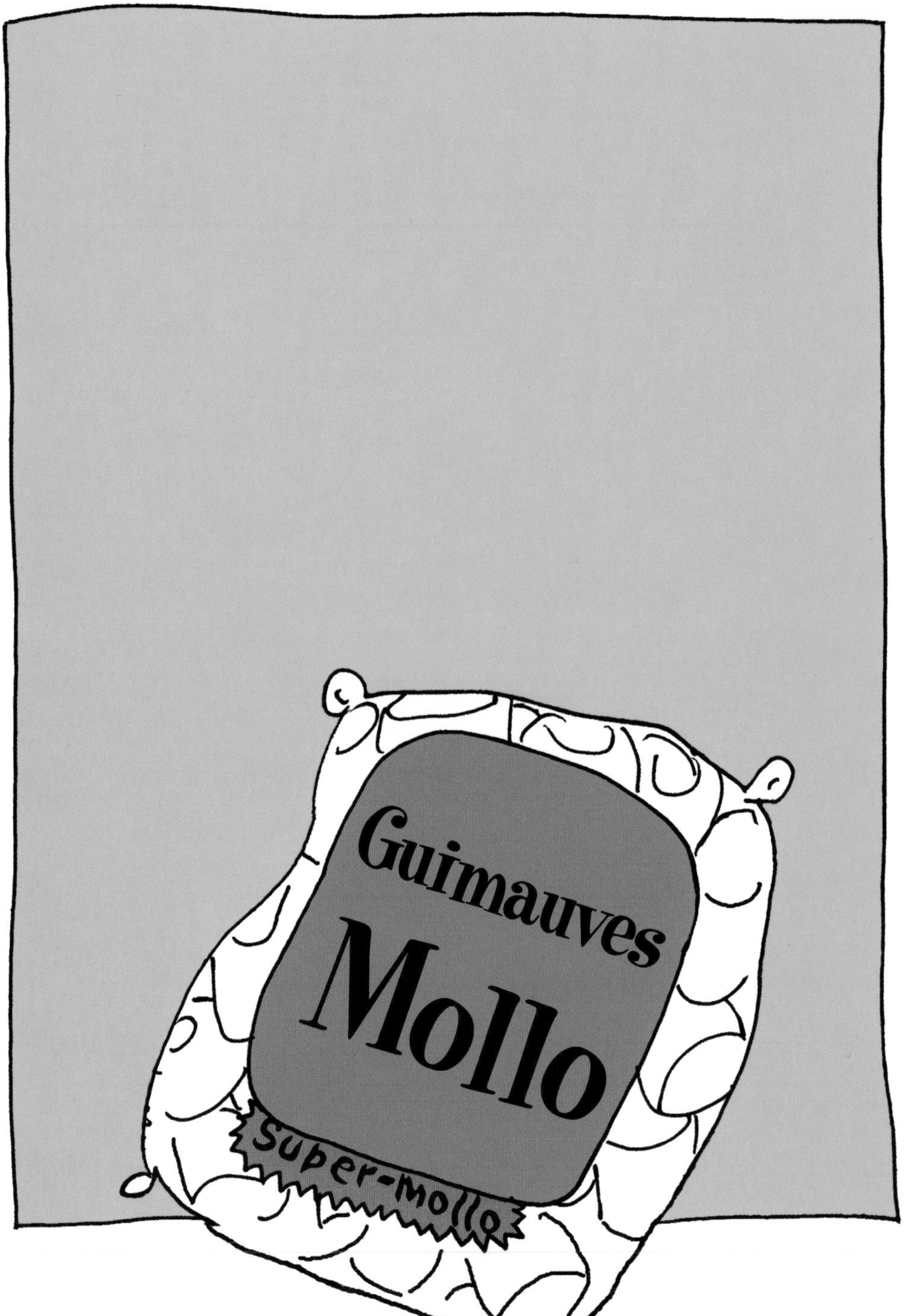
Guimauves
Mollo
Super-mollo

Plus drôle qu'un paquet de guimauves

Johnny Mouton attendait avec impatience d'aller à l'école. Quand il entra dans la classe, tous les enfants remarquèrent qu'il était différent.
Quel drôle d'oiseau !
Il est pas comme nous.
Pourquoi ?
Bizarre, non ?
C'est comme ça.

Chaque élève avait apporté une pomme au maître, monsieur Bouillon.
Merci à vous tous !

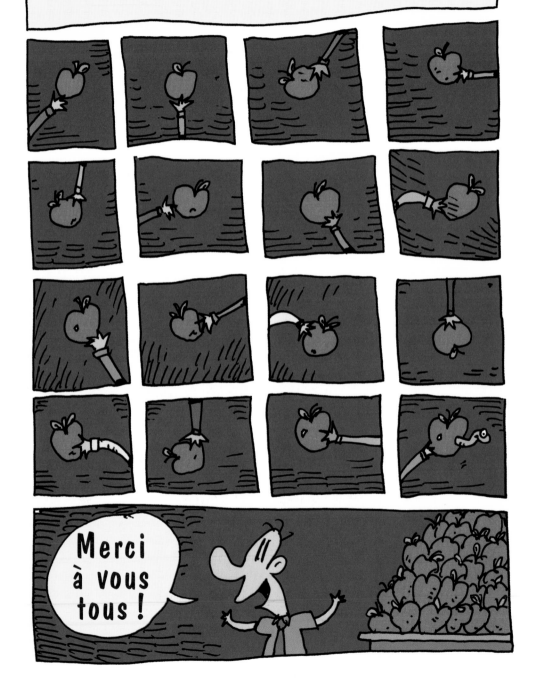

Johnny, lui, avait apporté un paquet de guimauves.
Guimauves
Mollo
Super-Moll

Tous les enfants éclatèrent de rire.
Ah !
Hi !
Ho !
Whoop !
Hihi !
You cou !
Ah ah houp !
Dis donc !
Ks ks !
Eh eh !
Heu-heu !
Très drôle !
Atch atch !
Arf arf !
Arf arf !
Arf arf !
Yek !
Hig !
Houla !
Gnac gnac !
Criich !
Ouaf !
Youk youk !
Wouah
Maman !

Mais monsieur Bouillon était content.
Avec mon dentier, je n'arrive pas bien à manger des pommes.
Ah bon ?
Mais je pourrai très bien mâcher de la guimauve !
Houlà !

Monsieur Bouillon continua :
Être différent, c'est très bien, surtout quand on apporte des guimauves !
Gloups

Johnny n'entendait plus rien. Il s'était caché dans le placard, loin de cet horrible dentier.

L'orthographe, ça décoiffe

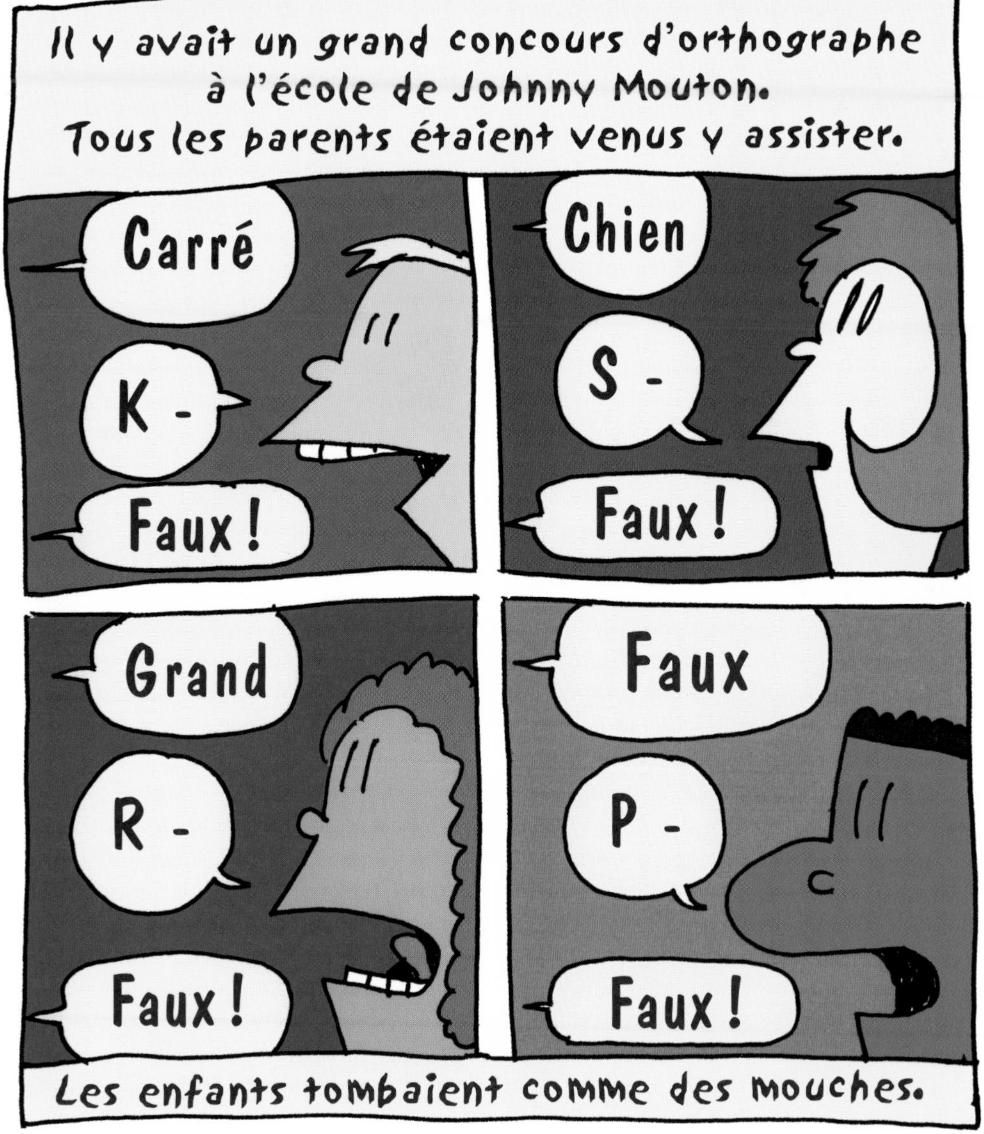

Il y avait un grand concours d'orthographe
à l'école de Johnny Mouton.
Tous les parents étaient venus y assister.
Carré
K -
Faux !
Chien
S -
Faux !
Grand
R -
Faux !
Faux
P -
Faux !
Les enfants tombaient comme des mouches.

Bientôt, il ne resta plus que deux élèves face à face: Julie Gruche et Johnny Mouton.
Je vais t'aplatir, plat de nouilles !
Je vais t'écrabouiller, tas de gelée !
Julie Gruche était une vilaine fille et Johnny Mouton brûlait d'envie de gagner.

Le maître tira un mot de sa boîte, pour Julie :
Photosynthèse
Johnny riait sous cape. La victoire était dans la poche.
Quelle chance !
Eh eh !
Mais Julie l'épela parfaitement.
Bravo, Julie !
Je sais : P-
Zut alors !

Vint le tour de Johnny Mouton.
Au moment où le maître allait tirer
un mot de la boîte, la cloche sonna.
Le concours d'orthographe
continuerait le lendemain.
Tu as été génial !
Il faut qu'on travaille ce soir. Je dois gagner.
DRING !
DRING !

Mais, le lundi soir, Moma ne ratait jamais son cours de tuba. « Gagner n'est pas tout dans la vie », dit-elle.
TU ES LA PIRE MAMAN DU MONDE !
Je suis quoi ?

Le lendemain, le concours d'orthographe reprit.
Prêt ?
Prêt.
Tout le monde attendait impatiemment le mot que Johnny devrait épeler.
AMOUR.
Julie Gruche aboya :
Trop facile ! C'est pas juste !

Johnny aperçut Moma, dans la salle.
Elle souriait mais avait l'air triste.
Alors, il se rappela ce qu'il lui avait
crié la veille.
Johnny, s'il te plaît, épelle AMOUR.
M-O-M-A
Faux, archifaux !
Tu es triste d'avoir perdu ?
Oh, Moma, gagner n'est pas tout dans la vie.
Je t'aime.
Moi aussi.
Johnny avait donc perdu le concours, mais il
ne s'était jamais senti aussi heureux de sa vie.

Les pirates contre le nez qui coule

Une semaine avant Halloween, Johnny Mouton était gai comme un pinson.
Moma, je n'ai jamais vu de chaussettes aussi longues et vertes.
Les autres vont adorer mon déguisement !

J'en suis sûre.
Moi aussi.
En quoi vas-tu te déguiser ?
C'est un secret !
Chut.
Ne me fais pas peur !
Ne t'inquiète pas !
Hé hé !

Le jour de Halloween, quand Johnny Mouton descendit l'escalier, Moma faillit s'évanouir en le voyant.
GULP LALA !

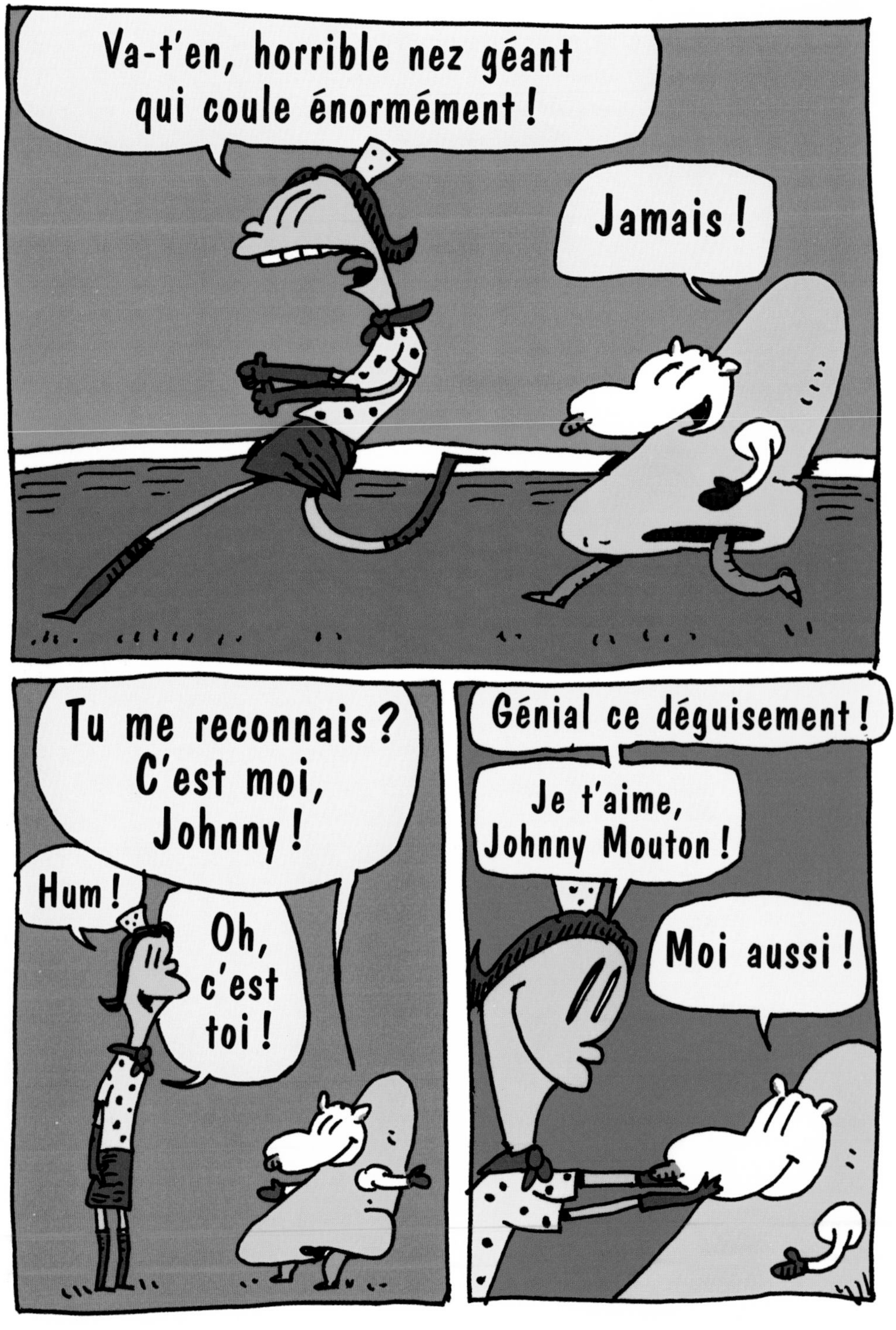
Va-t'en, horrible nez géant qui coule énormément !
Jamais !
Tu me reconnais ? C'est moi, Johnny !
Hum !
Oh, c'est toi !
Génial ce déguisement !
Je t'aime, Johnny Mouton !
Moi aussi !

Johnny alla donc à l'école et entra fièrement dans sa classe.
Régalez vos yeux ! Voici le nez géant qui coule énormément !
Une sorcière déclara :
Étrange
Un pirate demanda :
Où est ton épée en caoutchouc, mon gars ?
Un pirate presque semblable ajouta :
Qu'est-ce que c'est, cet habit ?

Et tous s'écrièrent en chœur :
JOHNNY MOUTON, EN QUOI ES-TU DÉGUISÉ ?

Tout ceci bouleversa Johnny qui se sentit dégoûtant. Il dut utiliser tous ses pouvoirs de mouton pour ne pas pleurer.
Surtout, reste fort...
Juste à ce moment-là, Gloria Lintrépide entra (elle était toujours en retard).
Régalez vos yeux ! Voici la boîte de mouchoirs géante !
Elle adora le déguisement de Johnny.
J'aime ta dégaine, Mouton !
J'aime la tienne, Lintrépide !
Et, depuis, ce sont les meilleurs amis du monde.

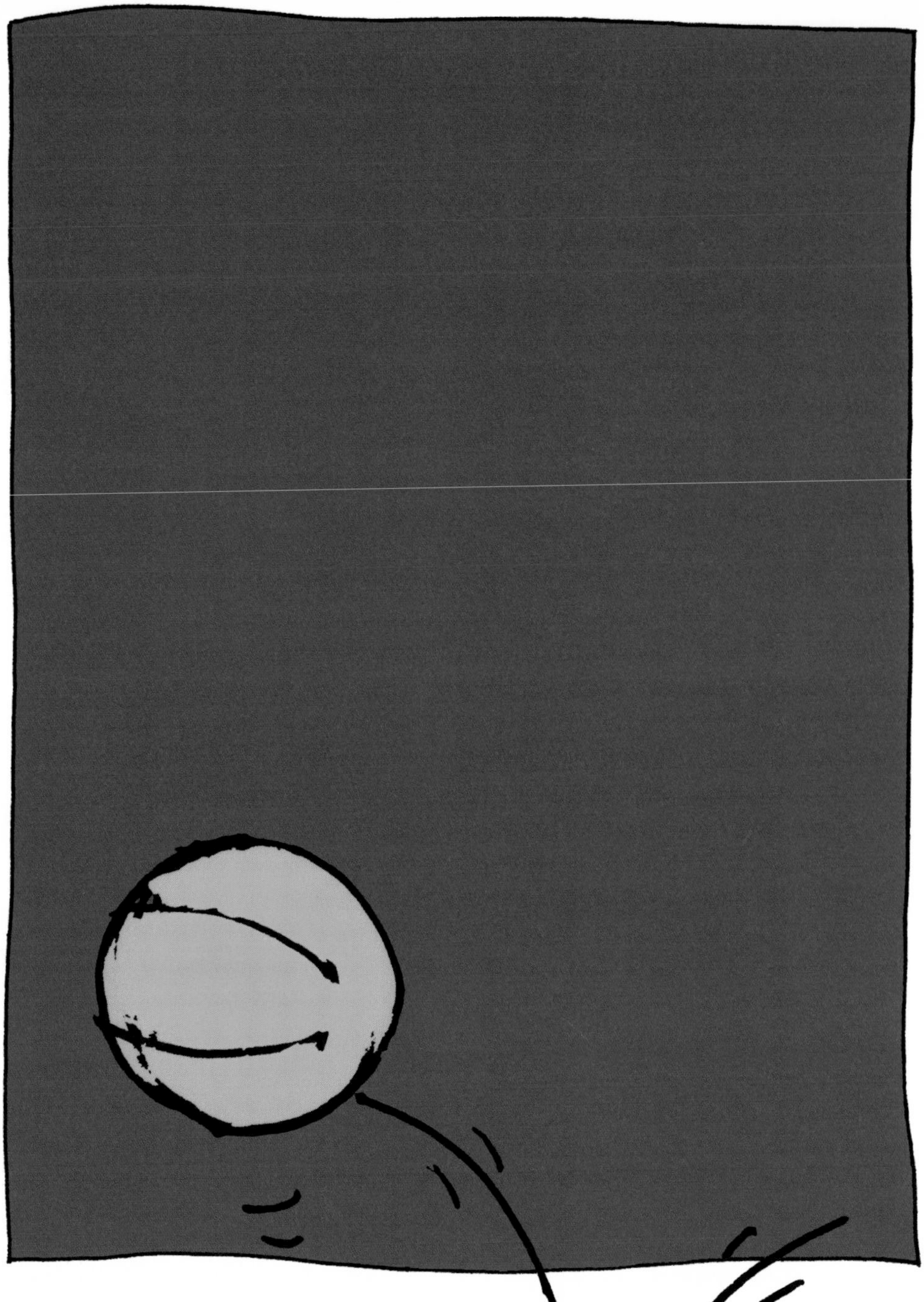

Dribbler ou ne pas dribbler : voilà la question !

Moma Mouton avait été championne de basket-ball.

Elle souhaitait que Johnny Mouton devienne, lui aussi, un champion. Et, tous les jours, elle lui lançait la balle au moins cent fois.

Et cent fois par jour, la balle rebondissait sur son corps laineux.
Outch !
BONK !
Atch !
Youp !
Raté !

En vérité, il arriva une fois à bloquer le ballon, un pur hasard.

Un jour, le ballon disparut.
Nous ne pourrons pas jouer aujourd'hui.
Quel dommage !
Alors, Moma remarqua un drôle d'écureuil perché sur l'arbre.
Elle sourit.
Hum...
Tralala...

Quelque chose me dit que tu ne veux pas être joueur de basket.
Tu as raison, Moma.
Tu es fâchée ?
Bien sûr que non ! Sois toi-même !
Je veux faire des ballets nautiques !
Alors, vas-y, nage de ton mieux !

Et c'est ce que fit Johnny Mouton !

Que sont-ils devenus ?

Johnny Mouton est devenu un héros national en gagnant vingt médailles d'or aux jeux Olympiques dans ses ballets nautiques.

Monsieur Bouillon est devenu célèbre en racontant les aventures de Johnny Mouton à la télévision. On voit même sa figure sur chaque paquet de guimauves Mollo.

Après la victoire de Johnny, tous les élèves de la classe se déguisèrent en Johnny Mouton le jour de Halloween.

Sauf Gloria Lintrépide
et Johnny Mouton : Gloria
se déguisa en balai
à franges et Johnny
Mouton en flaque
répugnante.

Moma Mouton continua
à trouver beaucoup
de choses devant
sa porte, mais rien
d'aussi merveilleux
que Johnny Mouton.

Un trèfle
à quatre feuilles

Une punaise
à poils raides

Un essuie-glace

Une chaussure
de poupée

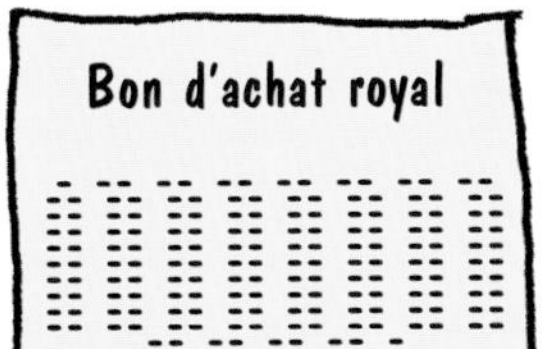

Un bon d'achat royal

Une bague
en diamant

folio benjamin

Dans la même collection :